Feb 2012

To the Stenberg O'D[illegible]ell Family

Sharing the b[illegible] cuisine of European

Lots of love the Babiuli-Moore

P.S. Look forward to trying out some of [illegible] receipes together in Frome later this year.

Direction de la publication : **Isabelle Jeuge-Maynart et Ghislaine Stora**

Direction éditoriale : **Delphine Blétry**

Édition : **Ewa Lochet**

Direction artistique : **Emmanuel Chaspoul, assisté d'Anna Bardon**

Informatique éditoriale : **Philippe Cazabet**

Couverture : **Véronique Laporte**

Fabrication : **Annie Botrel**



Les Éditions Larousse utilisent des papiers composés de fibres naturelles, renouvelables, recyclables et fabriquées à partir de bois issus de forêts qui adoptent un système d'aménagement durable. En outre, les Éditions Larousse attendent de leurs fournisseurs de papier qu'ils s'inscrivent dans une démarche de certification environnementale reconnue.

ISBN 978-2-03-587078-0

LES MINI LAROUSSE

# NUTELLA

*Les meilleures recettes*

21 rue du Montparnasse 75283 Paris Cedex 06

# Sommaire

# Coulants au coco cœur NUTELLA

**POUR 4 COULANTS**

**PRÉPARATION : 20 min • CUISSON : 15 min**

**1 œuf + 2 blancs • 140 g de noix de coco râpée • 80 g de sucre glace • 40 g de beurre ramolli • 100 g de crème de noix de coco • 1 pincée de sel • 4 c. à café de NUTELLA**

**1.** Préchauffez le four à 180 °C (therm. 6).

**2.** Cassez l'œuf, en séparant le blanc du jaune.
Dans un saladier, mélangez la noix de coco, le sucre glace, le beurre, le jaune d'œuf et la crème de noix de coco.

**3.** Montez les 3 blancs d'œufs en neige bien ferme avec le sel, puis incorporez-les délicatement à la préparation au coco.

**4.** Beurrez et farinez quatre ramequins et versez-y la pâte.
Déposez 1 cuillerée à café de NUTELLA au centre de chaque ramequin en l'enfonçant dans la pâte. Enfournez pour 15 min.

**5.** Sortez les coulants du four, laissez-les reposer pendant 5 min, puis démoulez-les délicatement.

**Il est important que le NUTELLA soit recouvert de pâte au coco, sinon il se dessèche à la cuisson et forme alors une croûte.**

# Tartine de NUTELLA et brisures de Smarties

**POUR 4 PERSONNES**

**PRÉPARATION :** 5 min

**1 baguette de pain ou 1 pain de campagne • 3 c. à soupe bien remplies de NUTELLA • 30 petits bonbons Smarties**

**1.** Coupez 8 belles tranches de baguette ou de pain de campagne. Faites-les griller légèrement dans un grille-pain ou au four.
**2.** À l'aide d'une cuillère, tartinez généreusement les tranches de pain de NUTELLA.
**3.** Concassez les petits bonbons et parsemez-en les tartines. Dégustez aussitôt.

**Variante : Remplacez les bonbons par de la noix de coco râpée.**

nute
FERRERO
PATE A TARTINE

# Petits croissants au NUTELLA

**POUR 16 CROISSANTS**

**PRÉPARATION** : 10 min • **CUISSON** : 20 min

1 pâte feuilletée préétalée • 150 g de NUTELLA • 1 jaune d'œuf

**1.** Préchauffez le four à 180 °C (therm. 6).
**2.** Déroulez la pâte feuilletée, puis recouvrez-la d'une couche épaisse de NUTELLA.
**3.** À l'aide d'un couteau bien aiguisé, découpez la pâte en 16 parts triangulaires. Roulez celles-ci sur elles-mêmes en partant de la base des triangles vers le sommet, de façon à former des petits croissants.
**4.** À l'aide d'un pinceau, badigeonnez les croissants de jaune d'œuf.
**5.** Faites cuire les croissants au four pendant 20 min. Laissez-les refroidir sur une grille. Dégustez chaud ou tiède.

# Petits palmiers coco-NUTELLA

**POUR 30 PALMIERS**

**PRÉPARATION :** 5 min • **CONGÉLATION :** 30 min • **CUISSON :** 15 min

1 pâte feuilletée préétalée • 150 g de NUTELLA • 15 g de noix de coco râpée

**1.** Préchauffez le four à 180 °C (therm. 6).
**2.** Déroulez la pâte feuilletée et tartinez-la de NUTELLA.
**3.** Roulez la pâte jusqu'à son milieu, puis faites la même chose de l'autre côté, de sorte que les deux rouleaux se rejoignent au centre.
**4.** Placez la pâte au congélateur pendant 30 min : cela facilitera la découpe des palmiers.
**5.** Coupez la pâte en tronçons de 0,5 cm d'épaisseur et déposez-les sur une plaque recouverte de papier sulfurisé.
**6.** Faites cuire au four pendant 15 min ; à mi-cuisson, saupoudrez les petits palmiers de noix de coco râpée. Dégustez tiède ou froid.

# Financiers cœur NUTELLA

**POUR 18 FINANCIERS**

**PRÉPARATION** : 10 min • **CUISSON** : 10 à 12 min

70 g de beurre • 50 g de farine • 130 g de sucre glace • 70 g d'amandes en poudre • 4 blancs d'œufs • 100 g de NUTELLA

**1.** Préchauffez le four à 210 °C (therm. 7).
**2.** Dans une petite casserole, faites fondre le beurre à feu doux.
**3.** Dans un saladier, mélangez la farine, le sucre glace et les amandes en poudre. Incorporez un par un les blancs d'œufs, puis ajoutez le beurre. Mélangez bien.
**4.** Beurrez les moules à financiers. Remplissez-les à moitié avec la pâte. Ajoutez 1 cuillerée à café de NUTELLA dans chaque empreinte, puis recouvrez de pâte restante.
**5.** Faites cuire les financiers pendant 10 à 12 min. Laissez-les refroidir avant de les déguster.

# Nems à la mangue et au NUTELLA

**POUR 10 NEMS**

**PRÉPARATION** : 15 min • **CUISSON** : 10 min

1 mangue • 2 c. à soupe d'amandes effilées • 25 g de beurre • 5 feuilles de brick • 100 g de NUTELLA

**1.** Pelez la mangue, détachez la chair de chaque côté du noyau et coupez-la en petits dés. Dans une poêle, faites griller à sec les amandes effilées. Faites fondre le beurre.
**2.** Préchauffez le four à 200 °C (therm. 6-7).
**3.** Coupez les feuilles de brick en deux aux ciseaux puis recoupez la partie arrondie de chaque demi-feuille sur 2 cm pour obtenir une forme plus rectangulaire. (Gardez les autres feuilles en attente sous un linge humide car la pâte se dessèche rapidement.)
**4.** Déposez quelques dés de mangue au milieu du grand côté, près du bord. Ajoutez 2 cuillerées à café de NUTELLA et quelques amandes effilées. Commencez par rouler le nem jusqu'à la moitié de la feuille, rabattez les bords vers le milieu et finissez de rouler la feuille. Préparez ainsi les autres nems.
**5.** À l'aide d'un pinceau, badigeonnez les nems de beurre fondu. Disposez-les sur une plaque recouverte de papier sulfurisé. Faites cuire 10 min, jusqu'à ce que les nems prennent une jolie couleur dorée. Dégustez tiède ou froid.

# Macarons au NUTELLA

**POUR 40 PETITS MACARONS**

**PRÉPARATION :** 40 min • **CUISSON :** 15 min
• **REPOS DE LA PÂTE :** 20 min

6 blancs d'œufs • 260 g de sucre glace • 240 g d'amandes en poudre • 30 g de cacao • 200 g de sucre en poudre • 400 g de NUTELLA

**1.** Cassez les œufs pour récupérer les blancs au moins 4 h à l'avance ; gardez les blancs à température ambiante.
**2.** Préchauffez le four à 140 °C (therm. 4-5).
**3.** Mixez le sucre glace avec les amandes en poudre et le cacao afin d'obtenir une poudre très fine. Tamisez le tout au-dessus d'un saladier.
**4.** Fouettez les blancs d'œufs ; lorsqu'ils deviennent mousseux, ajoutez la moitié du sucre en poudre et continuez de fouetter. Quand les blancs commencent à devenir fermes, versez le reste de sucre et battez encore pour obtenir une meringue épaisse. Incorporez délicatement le mélange tamisé. Travaillez en gestes doux et larges, au moins 2 min, en allant des bords du récipient vers le centre. La pâte doit être brillante, lisse, et former un ruban en retombant.
**5.** Recouvrez une plaque à pâtisserie de papier sulfurisé et tracez des cercles d'environ 3,5 cm de diamètre, à intervalle régulier et en quinconce.
**6.** Versez la pâte dans une poche munie d'une douille lisse et formez des boules du même diamètre que celui des cercles.

**7.** Laissez les macarons reposer 20 min à température ambiante et dans un endroit sec pour qu'une croûte se forme à la surface.
**8.** Avant d'enfourner, posez la plaque avec les macarons sur une autre plaque ; ainsi les fonds des gâteaux ne seront pas trop cuits et il se formera la petite collerette si caractéristique du macaron. Faites cuire pendant 15 min en maintenant la porte du four légèrement entrouverte.
**9.** Laissez tiédir les macarons entre 5 et 10 min, puis retirez-les de la plaque.
**10.** Lorsque les coques de macarons sont froides, garnissez-en la moitié de NUTELLA et assemblez-les avec les coques restantes.

**Conservez les macarons au réfrigérateur au moins 24 h avant de les déguster, ils seront ainsi plus moelleux.**

# Panna cotta au NUTELLA

**POUR 4 PERSONNES**

**PRÉPARATION :** 10 min • **CUISSON :** 3 min
• **RÉFRIGÉRATION :** 3 h au moins

2 feuilles de gélatine • 40 cl de crème fraîche liquide
• 160 g de NUTELLA

**1.** Faites ramollir les feuilles de gélatine dans un bol d'eau froide.
**2.** Dans une casserole, portez la crème liquide à ébullition. Ajoutez le NUTELLA et mélangez à l'aide d'une spatule de façon à obtenir une crème bien homogène.
**3.** Essorez la gélatine et, hors du feu, incorporez-la à la crème au NUTELLA.
**4.** Répartissez la préparation dans quatre verrines. Laissez refroidir, puis placez les panna cotta au frais pendant au moins 3 h.

# Milk-shake à la banane et au NUTELLA

**POUR 2 PERSONNES**

**PRÉPARATION :** 10 min

2 bananes • 40 cl de lait bien froid • 3 c. à soupe de NUTELLA • 1 c. à soupe de sucre en poudre • 4 ou 5 glaçons

**1.** Pelez les bananes et coupez-les en rondelles.
**2.** Mixez-les avec le lait froid, le NUTELLA, le sucre et les glaçons pendant 1 minute pour obtenir un mélange bien onctueux et mousseux.
**3.** Versez le milk-shake dans deux verres et dégustez aussitôt.

**Variante : Vous pouvez remplacer les glaçons par deux boules de glace à la vanille, mais supprimez alors le sucre.**

LAIT PASTEURISÉ CONDITIO
COOPÉRATIVE
D'HERBÉVILLE ET

# Mousse au NUTELLA

**POUR 8 MOUSSES**

**PRÉPARATION :** 15 min • **CUISSON :** 5 min • **RÉFRIGÉRATION :** 6 h au moins

4 œufs + 2 blancs • 2 c. à soupe de sucre en poudre • 200 g de NUTELLA • 50 g de beurre • 50 g de crème fraîche • noisettes grillées et concassées

**1.** Cassez les œufs en séparant les jaunes des blancs. Fouettez vivement les jaunes d'œufs avec le sucre jusqu'à ce que le mélange blanchisse et devienne mousseux.
**2.** Faites fondre le NUTELLA avec le beurre dans un saladier en verre placé sur un bain-marie. Laissez tiédir. Mélangez la préparation au NUTELLA aux jaunes battus, puis incorporez la crème fraîche.
**3.** Montez les 6 blancs d'œufs en neige ferme. À l'aide d'une spatule, incorporez-les délicatement au mélange précédent.
**4.** Tapissez le fond de huit ramequins individuels d'une fine couche de noisettes grillées.
**5.** Répartissez la mousse dans les ramequins et placez-les au réfrigérateur pour au moins 6 h.

**L'idéal est de placer la mousse au congélateur pendant environ 30 min avant de servir : elle sera plus ferme.**

# Crème brûlée au NUTELLA

**POUR 4 PERSONNES**

**PRÉPARATION** : 15 min • **CUISSON** : 1 h • **RÉFRIGÉRATION** : 12 h au moins

6 jaunes d'œufs • 75 g de sucre en poudre • 1 gousse de vanille • 15 cl de lait entier • 25 cl de crème liquide • 160 g de NUTELLA • 40 g de cassonade

**1.** Préchauffez le four à 100 °C (therm. 4). Fouettez les jaunes d'œufs avec le sucre jusqu'à ce qu'ils blanchissent.
**2.** Fendez la gousse de vanille en deux dans le sens de la longueur. Grattez les graines contenues à l'intérieur et ajoutez-les aux jaunes d'œufs battus. Versez dessus progressivement le lait et la crème, qui doivent être à température ambiante, et mélangez.
**3.** Disposez dans le fond de quatre petits plats à crème brûlée la valeur d'une bonne cuillerée à soupe de NUTELLA, soit environ 40 g. Versez dessus la crème vanillée. Placez les plats à mi-hauteur dans le four et faites cuire 1 h.
**4.** Retirez les crèmes du four et laissez-les refroidir. Réservez-les ensuite au réfrigérateur pendant au moins 12 h.
**5.** Juste avant de servir, saupoudrez les crèmes de cassonade et faites caraméliser la surface à l'aide d'un chalumeau (ou passez les crèmes pendant 1 minute sous le gril du four).

miam

# Petites crèmes au NUTELLA

**POUR 4 PERSONNES**

**PRÉPARATION** : 20 min • **CUISSON** : 10 min • **RÉFRIGÉRATION** : 4 h

3 jaunes d'œufs • 25 g de sucre en poudre • 25 cl de lait entier • 12,5 cl de crème liquide • 180 g de NUTELLA

**1.** Dans un saladier, fouettez les jaunes d'œufs avec le sucre jusqu'à ce qu'ils blanchissent et deviennent mousseux.
**2.** Dans une casserole, portez à ébullition le lait et la crème fraîche. Versez ce mélange chaud sur les jaunes tout en fouettant. Reversez l'ensemble dans la casserole et faites cuire à feu moyen en remuant sans cesse jusqu'à la limite du frémissement.
**3.** Hors du feu, laissez tiédir pendant 10 min, puis ajoutez peu à peu le NUTELLA en mélangeant pour obtenir une préparation homogène.
**4.** Versez la crème dans quatre ramequins individuels ou dans quatre pots à yaourt en verre et placez au réfrigérateur pour au moins 4 h.

# Glace au NUTELLA

**POUR 1 LITRE DE GLACE**

**PRÉPARATION :** 30 min • **RÉFRIGÉRATION :** 5 h
• **TURBINAGE EN SORBETIÈRE :** 25 à 30 min

8 jaunes d'œufs • 200 g de sucre en poudre • 60 cl de lait
• 10 cl de crème liquide • 7 c. à soupe de NUTELLA

**1.** Battez les jaunes d'œufs avec le sucre jusqu'à ce qu'ils blanchissent.
**2.** Dans une casserole, portez à ébullition le lait et la crème. Versez le mélange chaud sur les œufs battus tout en fouettant. Reversez le tout dans la casserole et faites chauffer à feu très doux, comme pour une crème anglaise, jusqu'à ce que la préparation nappe le dos d'une cuillère.
**3.** Transvasez dans un récipient et incorporez le NUTELLA. Laissez refroidir la crème en remuant de temps en temps. Placez-la ensuite au réfrigérateur pour 5 h environ.
**4.** Passez la crème au chinois. Versez-la dans le bol de la sorbetière (qui a été placé auparavant au congélateur pendant 12 h).
**5.** Posez le bol dans la sorbetière. Mettez celle-ci en marche pendant 25 à 30 min pour obtenir une glace onctueuse et souple.

**Idée de recette : Faites des crêpes et badigeonnez-les de miel. Servez-les avec une boule de glace au NUTELLA et un caramel liquide.**

# Roses des sables au NUTELLA

**POUR 15 ROSES DES SABLES**

**PRÉPARATION :** 10 min • **CUISSON :** 5 min • **RÉFRIGÉRATION :** 2 h

90 g chocolat au lait • 120 g NUTELLA • 40 g de pétales de maïs

**1.** Dans une casserole, faites fondre, à feu doux, le chocolat et le NUTELLA. Quand le mélange est bien lisse, ajoutez les pétales de maïs.
**2.** Déposez des petits tas de cette préparation sur une feuille de papier sulfurisé ou dans de petites caissettes.
**3.** Réservez au frais pendant au moins 2 h avant de déguster.

Would you like
some coffee ?
Let's take
a break
and have a
pleasant chat!

# Truffes au NUTELLA

**POUR 15 TRUFFES**

**PRÉPARATION :** 20 min • **CUISSON :** 5 min • **RÉFRIGÉRATION :** 30 min

**30 g de sucre en poudre • 15 noisettes entières • 50 g de chocolat noir • 2 c. à soupe de crème fraîche liquide • 150 g de NUTELLA • 30 g de pralin**

**1.** Dans une casserole, faites fondre le sucre en poudre avec 2 cuillerées à soupe d'eau, puis laissez cuire jusqu'à obtenir un caramel. Ajoutez les noisettes et mélangez pour bien les enrober de caramel. Déposez les noisettes caramélisées sur une feuille de papier sulfurisé. Laissez-les sécher.
**2.** Coupez le chocolat en morceaux. Dans une casserole, faites-le fondre avec la crème liquide et le NUTELLA. Mélangez. Quand la ganache est bien homogène, retirez la casserole du feu et laissez refroidir.
**3.** Prélevez une noix de ganache à l'aide d'une petite cuillère. Incorporez-y une noisette caramélisée, puis formez une petite boule dans le creux de votre main. Réalisez des petites boules jusqu'à épuisement de la pâte. Enrobez-les de pralin.
**4.** Placez les truffes 30 min au réfrigérateur avant de les déguster.

# Tuiles au NUTELLA

**POUR 20 TUILES**

**PRÉPARATION :** 20 min • **CUISSON :** 25 min environ

50 g de noisettes • 35 g de beurre • 2 blancs d'œufs • 80 g de sucre en poudre • 30 g de farine • 100 g de NUTELLA

**1.** Préchauffez le four à 160 °C (therm. 5-6).
**2.** Versez les noisettes sur une plaque recouverte de papier sulfurisé et enfournez pour 15 min.
**3.** Placez les noisettes dans un linge propre et frottez-les les unes contre les autres pour retirer les peaux. Concassez-les grossièrement.
**4.** Dans une casserole, faites fondre le beurre à feu doux. Dans un saladier, mélangez les blancs d'œufs et le sucre. Ajoutez ensuite la farine tamisée, le NUTELLA et le beurre fondu. Mélangez.
**5.** À l'aide d'une cuillère, déposez des petits tas de pâte sur la plaque recouverte de nouveau de papier sulfurisé. Aplatissez les tas de pâte avec le dos de la cuillère et saupoudrez-les d'éclats de noisette. Faites cuire au four de 6 à 10 min selon l'épaisseur.
**6.** Déposez délicatement les tuiles sur un rouleau à pâtisserie ou sur une bouteille. Elles prendront une forme arrondie en refroidissant.

# Petites meringues cœur NUTELLA

**POUR 12 MERINGUES**

**PRÉPARATION** : 20 min • **CUISSON** : 50 min à 1 h
• **SÉCHAGE DES MERINGUES** : 12 h

4 blancs d'œufs • 200 g de sucre en poudre • 12 c. à café de NUTELLA

**1.** Préchauffez le four à 110 °C (therm. 3-4).
**2.** Sur une feuille de papier sulfurisé, dessinez 12 ovales de 10 cm sur 7 cm. Retournez la feuille et positionnez-la sur une plaque à pâtisserie.
**3.** Dans un saladier, montez les blancs d'œufs en neige. Lorsqu'ils commencent à être fermes, ajoutez peu à peu le sucre. Continuez de battre jusqu'à ce que le sucre soit bien dissous et que la meringue forme des pointes quand on soulève le fouet.
**4.** Garnissez de meringue une poche munie d'une douille de 10 mm. Déposez un peu de meringue à l'intérieur de chaque ovale dessiné. Ajoutez dessus 1 cuillerée à café de NUTELLA puis recouvrez celui-ci de meringue.
**5.** Faites cuire 20 min. Baissez ensuite la température du four à 70 °C (therm. 2-3) et poursuivez la cuisson encore 30 à 40 min.
**6.** Sortez les meringues du four et laissez-les sécher toute une nuit avant de les déguster.

# Crumble aux poires et au NUTELLA

**POUR 4 PERSONNES**

**PRÉPARATION** : 15 min • **CUISSON** : 25 min

**6 poires • 200 g de NUTELLA • 40 g de beurre • 30 g de cassonade • 60 g de farine • 20 g d'amandes en poudre**

**1.** Préchauffez le four à 180 °C (therm. 6).

**2.** Lavez les poires, pelez-les et coupez-les en cubes. Disposez-les dans un plat allant au four. Recouvrez-les de NUTELLA à l'aide d'une cuillère à soupe ; si vous avez du mal à étaler le NUTELLA, placez le pot dans de l'eau chaude pendant 2 ou 3 min pour rendre la pâte plus liquide et donc plus facile à étaler.

**3.** Coupez le beurre en petits morceaux. Dans un saladier, réunissez la cassonade, le beurre, la farine et les amandes en poudre. Travaillez tous les ingrédients du bout des doigts jusqu'à obtenir un mélange granuleux.

**4.** Répartissez ce mélange sur le NUTELLA et enfournez pour 25 min environ ; le crumble doit prendre une jolie couleur dorée. Servez tiède.

JOUER
À LA DINETTE

# Tartelettes aux bananes et au NUTELLA

**POUR 6 TARTELETTES**

**PRÉPARATION** : 20 min • **REPOS DE LA PÂTE** : 1 h • **CUISSON** : 20 min

3 bananes • 6 c. à soupe bien remplies de NUTELLA
• 2 c. à soupe de noix de macadamia grillées et concassées
**Pour la pâte brisée** : 180 g de beurre • 2 pincées de sel fin
• 1 c. à soupe de sucre en poudre • 2 jaunes d'œufs
• 5 cl de lait à température ambiante • 255 g de farine

**1.** Préparez la pâte. Coupez le beurre en petits morceaux. Travaillez-le à la spatule pour le rendre crémeux. Ajoutez le sel, le sucre, les jaunes d'œufs et le lait tout en remuant, puis, peu à peu, la farine et malaxez la pâte à la main. Mettez-la au frais pour 1 h, enveloppée dans un film alimentaire.
**2.** Préchauffez le four à 200 °C (therm. 6-7).
**3.** Étalez la pâte sur 3 mm d'épaisseur. Beurrez six moules à tartelette de 10 cm de diamètre. Découpez dans la pâte 6 disques au diamètre légèrement supérieur à celui des moules. Foncez-en les moules et piquez le fond à la fourchette en plusieurs endroits. Faites cuire au four pendant 10 min.
**4.** Coupez les bananes en rondelles de 5 mm d'épaisseur. Sur chaque fond de tartelette, étalez 1 cuillerée à soupe de NUTELLA. Disposez dessus les rondelles de banane et enfournez pour 10 min. Avant de les déguster, tièdes ou froides, parsemez les tartelettes de noix de macadamia.

# Gâteau roulé au NUTELLA

**POUR 4 MINI-BÛCHETTES**

**PRÉPARATION** : 20 min • **CUISSON** : 15 min environ

4 œufs • 120 g de sucre en poudre • 40 g de farine • 1 pincée de sel • 200 g de NUTELLA

**Pour le glaçage** : 50 g de chocolat pâtissier

**1.** Préchauffez le four à 180 °C (therm. 6).

**2.** Cassez les œufs en séparant les blancs des jaunes. Fouettez les jaunes avec le sucre jusqu'à ce qu'ils blanchissent et deviennent mousseux. Ajoutez la farine.

**3.** Montez les blancs d'œufs en neige avec la pincée de sel. À l'aide d'une spatule, incorporez-les délicatement à la préparation précédente.

**4.** Versez la pâte sur une plaque à pâtisserie de 40 x 30 cm, recouverte de papier sulfurisé. Enfournez pour 10 à 15 min.

**5.** Sortez le biscuit du four. Découpez-le aussitôt en 4 parts égales, mais sans séparer les morceaux ni retirer le papier sulfurisé. Roulez le biscuit aussitôt ; laissez refroidir quelques minutes.

**6.** Déroulez le biscuit, retirez le papier sulfurisé et tartinez les 4 parts de NUTELLA. Roulez indépendamment les parts afin d'obtenir de petites bûchettes.

**7.** Préparez le glaçage. Coupez le chocolat en petits morceaux. Faites-le fondre au bain-marie. À l'aide d'un couteau ou d'une spatule, recouvrez les bûchettes de chocolat. Laissez durcir à température ambiante.

1
BON POINT
1
BON POINT

# Whoopies au NUTELLA et à l'orange

**POUR 15 PETITS WHOOPIES**

**PRÉPARATION :** 30 min • **CUISSON :** 10 min • **RÉFRIGÉRATION :** 60 min

**Pour la crème :** 1 orange non traitée • 75 g de beurre • 50 g de sucre en poudre • 1 œuf • 75 g de petits-suisses
**Pour les biscuits :** 125 g de farine • 1/2 sachet de levure chimique (soit 6 g envrion) • 1 pincée de sel • 40 g de beurre ramolli • 40 g de sucre • 1 œuf • 100 g de NUTELLA • 20 g de cacao en poudre • 10 cl de lait

**1.** Préchauffez le four à 180 °C (therm. 6).
**2.** Préparez la crème. Râpez le zeste de l'orange et pressez le jus. Faites fondre le beurre dans un saladier placé au bain-marie. Ajoutez-y le sucre, l'œuf, le zeste et le jus d'orange. Fouettez régulièrement jusqu'à ce que le mélange épaississe. Retirez du feu et laissez refroidir. Incorporez ensuite les petits-suisses. Réservez au frais.
**3.** Préparez les biscuits. Mélangez la farine, la levure et le sel. Dans un saladier, travaillez le beurre et le sucre. Ajoutez l'œuf, le NUTELLA, le cacao et le lait, et mélangez. Incorporez ensuite le mélange farine-levure. Déposez des petits tas de pâte sur une plaque recouverte de papier sulfurisé. Enfournez de 10 à 15 min. Laissez les biscuits refroidir
**4.** Tartinez la moitié des biscuits avec la crème. Assemblez-les avec les biscuits restants pour former les whoopies.

# Galette des rois au NUTELLA

**POUR 8 PERSONNES**

**PRÉPARATION :** 15min • **CUISSON :** 25 min

220 g de NUTELLA • 2 œufs + 1 jaune pour la dorure • 120 g de noisettes en poudre • 2 pâtes feuilletées préétalées

**1.** Préchauffez le four à 220 °C (therm. 7-8).
**2.** Dans un saladier, mélangez le NUTELLA avec les 2 œufs et les noisettes en poudre.
**3.** Déroulez la première pâte feuilletée sur une plaque recouverte de papier sulfurisé. Étalez délicatement la préparation au NUTELLA en laissant un bord de 1,5 cm afin de pouvoir ensuite souder les deux pâtes. Déposez une ou plusieurs fèves.
**4.** Déroulez la deuxième pâte et posez-la sur la première. Soudez les bords en réalisant un bourrelet sur tout le pourtour de la galette.
**5.** À l'aide d'un pinceau, badigeonnez la surface de la galette avec le jaune d'œuf, puis tracez un large quadrillage à la pointe d'un couteau. Faites cuire au four pendant 25 min. Dégustez tiède ou froid.

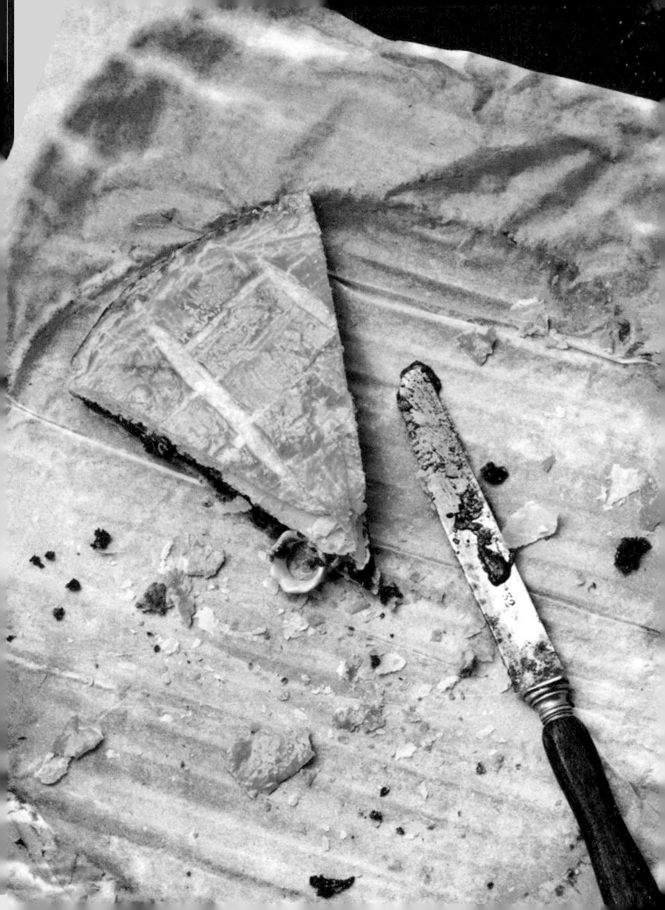

# Cheesecake au NUTELLA

**POUR 8 PERSONNES**

**PRÉPARATION** : 15min • **CUISSON** : 1 h 30 • **RÉFRIGÉRATION** : 30 min + 12 h

**100 g de beurre • 250 g de petits-beurre (ou gâteaux secs de votre choix) • 50 g de chocolat noir • 150 g de NUTELLA • 20 cl de crème liquide • 600 g de fromage frais (type Philadelphia ou Saint-Môret) • 4 œufs**

**1.** Préchauffez le four à 150 °C (therm. 5). Beurrez un moule (à fond amovible de préférence).
**2.** Faites fondre le beurre. Dans un bol, émiettez les petits-beurre et versez le beurre fondu. Mélangez, puis mettez cette pâte dans le moule en la tassant à l'aide d'un verre par exemple. Réservez au frais pendant au moins 30 min.
**3.** Dans une casserole à fond épais, faites fondre le chocolat avec le NUTELLA et la crème liquide.
**4.** Dans un saladier, battez à l'aide d'un fouet le fromage frais et les œufs. Ajoutez ensuite la crème au NUTELLA. Versez ce mélange sur le fond de pâte.
**5.** Enfournez pour 1 h. Éteignez le four et laissez le cheese-cake encore 30 min à l'intérieur. Réservez au frais pendant au moins 12 h avant de servir.

# Bûche au NUTELLA

**POUR 4 PERSONNES**

**PRÉPARATION :** 1 h • **CUISSON :** 15 min • **RÉFRIGÉRATION :** 12 h

8 oursons en guimauve + pour le décor • **Pour le biscuit :** 2 œufs • 60 g de sucre en poudre • 30 g de farine • 15 g de cacao en poudre • **Pour la mousse :** 100 g de chocolat au lait • 100 g de NUTELLA • 20 cl de crème liquide • 2 g d'agar-agar

**1.** Préparez le biscuit. Préchauffez le four à 180 °C (therm. 6). Battez les œufs et le sucre 4 ou 5 min au batteur électrique. Incorporez délicatement à l'aide d'une spatule la farine et le cacao tamisé. Étalez la pâte sur une plaque recouverte de papier sulfurisé. Enfournez pour 15 min. Laissez le biscuit refroidir sur un torchon humide, puis découpez-y un rectangle de la taille d'un moule à cake (20 cm x 8 cm).

**2.** Préparez la mousse. Faites fondre le chocolat au lait et le NUTELLA au bain-marie. Portez à ébullition 5 cl de crème liquide avec l'agar-agar. Hors du feu, incorporez ce mélange à la préparation au NUTELLA ; laissez refroidir. Fouettez le reste de crème liquide en chantilly ferme et incorporez-y délicatement le mélange au NUTELLA.

**3.** Chemisez le moule à cake avec les oursons. Versez-y la mousse, puis déposez le rectangle de biscuit. Placez le moule au réfrigérateur pour 12 h.

**4.** Passez rapidement le moule sous l'eau chaude puis démoulez délicatement la bûche sur un plat et collez quelques oursons sur les côtés. Servez frais.

# Charlotte au NUTELLA

**POUR 4 PERSONNES**

**PRÉPARATION :** 20 min • **RÉFRIGÉRATION :** 12 h au moins

50 cl de lait • 4 c. à café de cacao en poudre • 50 g de sucre en poudre • 275 g de biscuits roses de Reims ou de biscuits à la cuillère • 25 cl de crème liquide très froide • 300 g de NUTELLA

**1.** Faites chauffer un demi-verre de lait. Dans un saladier, mélangez le cacao avec le sucre et diluez-les avec le lait chaud, puis ajoutez le lait restant. Trempez rapidement un à un les biscuits dans ce lait chocolaté. Tapissez-en le fond et le tour d'un moule à charlotte d'environ 12 à 15 cm de diamètre ; serrez bien les biscuits les uns contre les autres afin que la charlotte, une fois démoulée, tienne bien.
**2.** Versez la crème liquide dans un saladier et montez-la en chantilly bien ferme à l'aide d'un fouet. Incorporez-y délicatement le NUTELLA en soulevant la masse à l'aide d'une spatule.
**3.** Versez la crème au NUTELLA jusqu'à mi-hauteur du moule, puis disposez à nouveau une couche de biscuits imbibés de lait chocolaté. Recouvrez du reste de crème en allant jusqu'en haut du moule. Couvrez de film alimentaire et placez la charlotte au réfrigérateur pendant au moins 12 h.

**Afin de faciliter le démoulage, vous pouvez tapisser le moule de film alimentaire.**

# Crédits photographiques

Stéphane Bahic © coll. Larousse (stylisme Sophie Dupuis-Gaulier) : pages 7, 9, 11, 13, 21, 33, 35, 37, 47, 49 et 51.
Caroline Faccioli © coll. Larousse (stylisme Corinne Jausserand) : pages 2, 15, 17, 19, 23, 25, 27, 29, 41, 43, 45 et 55.
Caroline Faccioli © coll. Larousse (stylisme Sabine Paris) : page31.
Olivier Ploton © coll. Larousse : page 18 et les pages de garde.
Amélie Roche © coll. Larousse (stylisme Aline Caron) : page 39.
Pierre-Louis Viel © coll. Larousse (stylisme Valéry Drouet) : pages 5, 53.

**TABLE DES ÉQUIVALENCES FRANCE – CANADA**

| | | | | | | | | | |
|---|---|---|---|---|---|---|---|---|---|
| **Poids** | 55 g | 100 g | 150 g | 200 g | 250 g | 300 g | 500 g | 750 g | 1 kg |
| | 2 onces | 3,5 onces | 5 onces | 7 onces | 9 onces | 11 onces | 18 onces | 27 onces | 36 onces |

Ces équivalences permettent de calculer le poids à quelques grammes près (en réalité, 1 once = 28 g).

| | | | | | | | |
|---|---|---|---|---|---|---|---|
| **Capacités** | 5 cl | 10 cl | 15 cl | 20 cl | 25 cl | 50 cl | 75 cl |
| | 2 onces | 3,5 onces | 5 onces | 7 onces | 9 onces | 17 onces | 26 onces |

Pour faciliter la mesure des capacités, une tasse équivaut ici à 25 cl (en réalité, 1 tasse = 8 onces = 23 cl).

Imprimé en Espagne par Graficas Unigraf, Madrid
Dépôt légal : janvier 2012
308410/01 – 11017068 novembre 2011